agent
kooi
weefsel uit India
spoor

AVI: 3

Leesmoeilijkheid: Woorden met -ooi, -aai, -oei

Thema: Ontvoering

Z Zwijsen

Wouter Kersbergen

Tim Snuffel

met tekeningen van Kees de Boer

1. Tim Snuffel

Dit boek gaat over Tim.
Een knul met een neus.
Geen neus zoals die van jou.
Geen neus zoals die van je buur.
Geen neus zoals die van je juf.
Geen neus zoals die van je broer.

Er is iets met de neus van Tim.
Eens zien.
De neus van Tim is niet groot.
De neus van Tim is niet klein.
De neus van Tim is niet raar.
De neus van Tim is niet mooi.
Hij ziet er heel best uit.

Hij ziet eruit als elke neus.
Hij zit waar hij hoort.
Tussen de ogen van Tim.
En je ziet twee gaten.
Onder dus!
De neus van Tim is dus goed.
Dat dacht de pa van Tim ook.
En zijn ma ook.

Tim werd zeven jaar geleden geboren.
Stipt om twaalf uur 's nachts.
Tim huilde niet.
Tim lachte niet.
Tim hield zijn oogjes stijf dicht.
Hij had het wel koud.
Hij vond het ook te licht.
Hij voelde met zijn handjes.
Er zat iets op zijn gezicht.
Hij voelde aan zijn neus.
Hij nam een flinke hap lucht.
En deed zijn oogjes open.
Hij keek om zich heen.

Hij rook meteen wie pap was.
Pap stond heel dichtbij.
Pap rook naar thee en rook.
En ook naar kool en ui en prei.

Hij rook ook wie mam was.
Hij lag aan haar zij.
Hij wist waar er te eten was.
Dat maakte mam blij.
Zijn neus ging heen en weer.
Zijn neus zocht de weg.
Tim dronk graag en veel melk bij mam.

Na een tijd wipte zijn neus.
En Tim draaide zich van mam weg.
Op zijn gezicht zag je een lach.
Tim was klaar.

Is dat dan vreemd?
Nee.
Dat is zelfs heel goed.
Dat is met veel baby's zo.
En toch was er meer aan de hand.

2. De neus groeit

De neus van Tim werd groot.
De rest van zijn lijf groeide ook mee.
Geen mens die er een vraag over stelde.
Tim had een fraai en lief neusje.
Met een scherpe punt.
Waar je niets vreemds aan zag.
Mam en pap wisten wel beter.
Tims neus was heel sterk.
Zo rook hij al zijn knuffels al van ver.
In de nacht zelfs.
Hij hoefde er maar aan te ruiken.
En zette ze neer van groot naar klein.

Hij rook het als oma er was.
Hij riep haar al lang voor zij hem uit bed kwam halen!
Oma rook dan ook naar koek.
En die geur kruipt langs elke deur.
Hij rook het als mam kookte.
Hij rook soep en vlees en saus.
En was de groente klaar?
Dan stond hij al met zijn slab.
Mam hield Tim gewoon in de gaten.
Zo brandde er dus nooit iets aan!

ZIJ

In de winkel raakte Tim nooit de weg kwijt.
Hij kon best bij het speelgoed blijven.
Of in een boek neuzen.
En wilde hij naar mam en pap?
Dan stak Tim zijn neus in de lucht.
Hij snuffelde door de gang.
Hij liep langs het vlees.
Hij volgde het spoor langs de melk.
En vond papa en mama bij de vis.
Op zijn weg had Tim heel veel geuren herkend.
En nieuwe geuren ontdekt.
Ui bij de kruiden.
En kaas bij de melk.
Bah!
Maar steeds stond Tim stil.
Dan las hij op een pot
of op een pak.
Zo leerde hij steeds meer.
Want bij een geur hoort een naam.
Bij elke naam past een plaatje.
Zijn neus leek wel een kast vol geur.
Bij elke geur was een verhaal.
En alle geuren zaten in zijn hoofd.
Hij raakte ze nooit kwijt.

3. Geschenk

Nu is Tim jarig.
Hij zit al in groep vier.
Pap geeft hem een cadeau.
Mam en Tim weten van niets.
Oma en opa houden hun mond stijf dicht.
Hun ogen glimmen.
Zij weten meer, maar ze zeggen mooi niks.

'Kom eens hier, Tim,' zegt pap zacht.
Hij doet zijn zoon een blind-doek om.
Pap leidt hem door de gang.
We gaan naar de tuin, weet Tim.
'Dit is een test,' zegt pap.
'Daar staat het kado.
Het is voor jou, als je ruikt wat het is.'
Tim houdt zijn gezicht in de plooi en lacht.
Dit kan niet moeilijk zijn.
De tuin is maar honderd meter lang.

Tim hapt naar lucht.
Dan valt zijn mond open.
'Je meent het!' joelt hij.
'En is hij echt voor mij?'
'Wat?' vraagt mam.

Zij weet nog steeds van niks.
'Een hond!' juicht Tim.
'Het is een herder!
Net als de hond van oom Hans.'
Tim rukt de blind-doek van zijn hoofd.
Hij vliegt zijn pa om de hals.
Tim geeft pap een zoen.
'Gaan we kijken?' lacht pap.
Opa en oma geven elkaar een arm.
'Hij bijt toch niet?' vraagt oma.
'Dat weet je nooit,' zegt opa.
'Hij heeft nog niet geblaft.'
'Ik blijf hier,' zegt mam.
Ze schudt het hoofd.
Ze is een beetje bang.

De pup is mooi en klein.
Hij zit in een nieuwe kooi.
Zijn tong hangt uit zijn bek.
Hij trilt wat.
Tim aait de hond.
'Ik noem je Maks,' zegt hij.
'Woef!' blaft de pup.
'Dat is dan goed,' zegt pap.
Ook hij aait Maks.
'Het is nu tijd voor feest!' lacht opa.

MAKS

4. Maks

Pap heeft een boek in zijn hand.
De mooie jonge hond, de lieve pup.
Het is een boeiend boek.
Pap leest lang en veel.
Soms staat hij op.
Dan loopt hij wat rond en leest voor.
'Neem uw pup overal mee naartoe.
Wat hij nu meemaakt, vergeet hij nooit meer.'
Tim en Maks horen pap niet.
Tim stoeit met Maks.
Hij rolt over de grond.
Tim ruikt aan het eten van Maks.
'Dit ruikt best goed!' lacht Tim.
Mam rolt met haar ogen.
'Waag het niet ervan te proeven!'
Ze vindt een pup in huis maar niks.

Pap en Tim doen heel erg hun best.
Pap leert Maks veel.
Hij houdt het boek bij de hand.
Pap gaat voor de pup staan.
Hij kijkt Maks ernstig aan.
Maks houdt zijn kop schuin.
De hond wacht mooi af.

‘Maks, zit!’ zegt pap dan.
De hond kwispelt met zijn staart.
Dan springt hij tegen pap op.
‘Goed zo!’ lacht Tim.

Na een week kan Maks al heel veel.
Hij geeft een poot, zit mooi.
En hij komt, als je hem roept.
Opa aait Maks.
‘Het is een slimme pup,’ zegt hij.
‘Hij is zo mooi,’ vindt oma.
‘En hij is best flink,’ geeft mam toe.
Dan plast Maks in de gang.
Opa lacht.
‘Foei Maks!’ roept mam streng.
‘Kom,’ zegt Tim tegen Maks.
‘Wij gaan nu uit.’

Maks en Tim zijn de beste maatjes.
Als Tim naar bed gaat,
haalt hij de pup uit zijn kooi.
Maks mag mee in bed.

Dan wordt het weer licht.
Maks likt aan een teen van Tim.
Dat voelt raar!

Dan springt Maks tegen de deur.
Hij moet een plas doen.
Dat komt mooi uit.
Tim moet ook.

Pap is ook al op.
Hij drinkt thee en leest de krant.
Hij ziet Tim niet.
Hij ziet Maks niet.
Tim rent naar de tuin.
De pup volgt.
Tim kiest een grote boom.
Maks plast tegen een struik.

En pap leest nog steeds de krant.
Dan valt zijn mond open.
'Schat!' roept hij.
Mam is ook op.
Ze gaat naast pap zitten.
Pap kijkt haar blij aan.
'Er is een wedstrijd,' zegt pap.
'Een wedstrijd voor honden.'
Mam wrijft in haar oog.
'Woef,' zegt ze.
Pap neemt een pen.

5. Vreemde kerels

Wat een lawaai in de zaal!
Veel honden zitten in kooien naast elkaar.
Ze blaffen loei-hard.
Maks doet flink mee.
Om zijn hals blinkt een fraaie band.
Zijn naam staat erop.
Pap staat voor de kooi.
Hij zegt nog wat tegen Maks.
Maks hoort niks van wat pap zegt.
Maks praat met zijn buur.
Dat is een poedel.
'Poot, Maks!' roept pap nog een keer.
Maks tilt zijn kop op.
De poedel tilt ook zijn kop op.
Ze huilen als een wolf in de nacht.
Pap steekt zijn vingers in de oren.
'Laat maar,' bromt hij.

Tim loopt langs de kooien met honden.
Hij doet zijn ogen dicht.
Hij snuift de geur op.
Het is er niet één,
het zijn er veel.
Hij stopt bij een windhond.

Ruikt die dan naar wind?
Nee hoor.
Tim kan nooit zeggen hoe iets ruikt.

Een windhond ruikt dus naar windhond.
En een poedel naar poedel.
En Maks naar Maks.
Zo loopt Tim langs de kooien.

Plots botst hij tegen iets aan.
Tim schrikt.
Hij houdt een hand boven zijn ogen.
Zijn ogen wennen aan het licht.
'Kijk uit waar je loopt, snot-aap!'
Een man in een zwart pak is boos.
Zijn teen doet pijn.
Een tweede man duwt Tim weg.
Die man draagt ook een zwart pak.
Hij gromt als een beer.
'Kijk uit, of ik gooi je eruit!'
De mannen zetten een zwarte bril op.
Dan gaan ze verder langs de kooien.
Een van hen draait zich nog eens om.
Hij laat zijn tanden zien.
'Sorry,' piept Tim nog.
Hij rent naar mam, oma en opa.

Die zitten in het publiek.
Ze eten chips.
Een eind verder zit Fleur.
Fleur zit bij Tim in de klas.
Ze zwaait naar hem.
Tim vindt Fleur wel aardig.
Naast Fleur zit een vreemde man.
Hij lijkt wel een zwerver.
De man wil iets tegen Fleur zeggen.
Fleur luistert.
Dan kijkt ze weer voor zich uit.
Tim ook.
Maks is aan de beurt.

6. Prijsbeest

Pap bijt op zijn nagels.
Hij kijkt de zaal in.
In het midden loopt een hond.
Met zijn baas.
Het is een grote Duitse dog.
Hond en baas lopen in een drafje.
Dat is moeilijk.
Bij de jury stoppen ze.
Nu moet de hond een poot geven.
Aan de oudste man uit de jury.
Een dame kijkt in de bek van het dier.
Ze knikt.
Dan schrijft ze iets op.
Het is stil in de zaal.
Een lieve vrouw aait de vacht.
Dan schrijft ook zij iets op.
Nu moet de dog naar het baasje komen.
Maar wat doet de hond nu?
Hij draait een rondje en hurkt.
Hij knijpt zijn ogen dicht.
Heel de zaal lacht.
De mensen van de jury niet.
Er ligt poep!
Nu krijgt de hond minder punten.

De poedel maakt wel een goede beurt.
De jury is blij.
De poedel is mooi gekapt.
Ze luistert als de beste.
Ze doet veel kunstjes.
Ze kan op haar voorste pootjes lopen.
Haar baas is zo trots als een pauw.

De teckel doet het ook goed.
En de windhond en de jachthond ook.
Met de boxer loopt het even fout.
De hond loopt weg bij zijn baasje.
Het beest rent het publiek in.
Hij blijft staan bij een man.
Oei!
De man heeft een broodje vast.
Een broodje met een braadworst.
De boxer mag proeven.
De hond is tevreden.
Zijn baasje iets minder.
De jury zet veel rode streepjes.

En dan is Maks aan de beurt.
Tim haalt hem uit zijn kooi.
Ze hollen de zaal in.
Felle lampen schijnen op hond en baasje.

Maks doet het heel goed.
Hij brengt de bal terug.
Hij geeft pootjes aan de jury.
Dan brengt hij een slof naar opa.
Daar hebben ze op getraind!
Opa zwaait met de slof.
Dan geeft Tim een krant aan Maks.
Maks brengt de krant weg.
Naar papa.
Aan de andere kant van de zaal.
Hij streelt Maks over zijn kop.
De jury klapt in de handen.
Dit vinden ze leuk!
Ze kijken naar de vacht van Maks.
En naar zijn tanden.
Mama voelt zich zeker.
Ze heeft Maks in bad gestopt.
Met dure shampoo voor honden.
En ze heeft zijn tanden gepoetst.
Met de tandpasta van opa.

Oma krijgt het er warm van.
Mam streelt haar hand.
Pap knipoogt naar mam.
Krijgt Maks veel punten?

7. Een zaak met een geurtje

'We staan in de krant!' joelt pap.
Maks blaft en draait rond.
Aan de band om zijn hals hangt een fraaie strik.
De strik van de winnaar.
Pap kucht.
Dan leest hij plechtig voor:
'Maks grote winnaar van WOEF-feest.'
Mam leest mee.
En Tim ook.
Over de schouders van pap.
Tim wijst naar een foto.
Een foto van Maks, opa en de slof.
Maks ruikt aan de grote gouden bokaal.
De dag ervoor was die gevuld met brokjes.
Nu snoept de hond het laatste brokje op.
Hij smakt.

Er wordt aan de deur gebeld.
Tim rent de gang in.
Dat zijn vast oma en opa.
Tim zwaait de deur open.
Zijn hart staat stil.
Voor hem staan twee mannen.
Met een zwart pak aan.

En met een zwarte bril.
Een van hen laat zijn tanden zien.
'Goeie dag,' gromt hij.

Dan staan de heren in de keuken.
Tim zit achter de bank op de grond.
De mannen ruiken naar kaas.
En hun voeten ruiken naar zweet.
'Waar komt u voor?' vraagt pap.
De grootste van de twee zit op een stoel.
De kleinste blijft staan.
Met zijn armen over elkaar.
'Wij maken foto's,' blaft de grootste.
'Van honden,' keft de kleinste.
'Voor kalenders,' gromt de grootste.
'Heel mooie,' snauwt de kleinste.
Pap kijkt mam aan.
Mam kijkt naar pap.
'En waarom zijn jullie hier?' vraagt pap.
De twee zeggen niks.
Dan wijst de grootste naar Maks.
'Hem moeten we hebben,' blaft de man.
Maks piept even.
Zijn oren hangen slap.
Hij zoekt snel een plek achter de bank.
Hij gaat muis-stil bij Tim liggen.

De hond rilt.

‘Wie zijn jullie?’ vraagt mam.
De kleinste geeft haar een kaartje.
‘Plooi en Van Kooi.
Fotograaf.
Allebei.’
De grootste man kucht.
Dan legt hij een pak geld neer.
‘Zo,’ zegt hij,‘ dit is voor jullie.
En het beest gaat met ons mee.
Morgen krijgt u hem weer.’
Voor paps neus ligt duizend euro.
‘Dat is veel geld,’ zegt mam.
De twee zwijgen.
Pap zwijgt ook.
Hij kijkt naar Maks.
Hij kijkt naar mam.

‘Mooi niet!’ roept Tim luid.
Tim staat nu vlak voor de bank.
Hij vertrouwt de mannen niet.
Hier zit een luchtje aan.
Van Plooi steekt zijn hand in zijn jas.
Hij haalt er nog honderd euro uit.
Hij legt het bij de rest.

‘Zo goed?’ hijgt hij.
Pap staat op.
Hij schuift het geld weg.
‘Nee, dank je wel,’ zegt hij dan.
‘De hond is van Tim.
En Tim is de baas.’

De twee mannen zijn heel stil.
De grootste staat op.
Hij knoopt zijn jas dicht.
Hij duwt zijn bril vaster op zijn neus.
Dan neemt hij het geld.
‘Hier zullen jullie spijt van krijgen,’ zegt hij zacht.
Pap slikt.
Mam pulkt aan haar lip.
De twee mannen draaien zich om.
En lopen boos naar de deur.
‘We laten ons zelf wel uit!’ keft de kleinste.

In de keuken ruikt het vreemd.
‘Kaas en voeten met zweet,’ zucht Tim.
Pap kijkt verbaasd op.
‘Stinkt geld zo?’ vraagt hij.

8. De kooi is leeg!

Tim is vroeg op.
Hij is goed wakker.
In de kast graait hij naar een bord.
Pap nipt aan zijn thee.
Hij knipoogt naar Tim.
Pap zegt nooit veel bij het ontbijt.
Tim steekt zijn hoofd naar buiten.
'Maaaaaaaks!' roept hij.
Uit de kooi komt geen geluid.
'Maks?' roept Tim nog een keer.
Tim kijkt naar pap.
'Waar is Maks?'

Pap holt de tuin door.
Tim rent hem na.
'Maks?' roept pap.
De kooi is leeg.
Tim kijkt bezorgd naar pap.
'Waar is Maks, pap?' vraagt Tim bang.
Pap krabt in zijn haar.
Hij knielt neer bij de kooi.
De riem van Maks is stuk.
Eén helft hangt aan het hok.
Tim rukt de riem uit zijn hand.

‘Kaas,’ zegt hij zacht.
Pap snapt er niks van.
‘Wat zeg je, Tim?’
Tim heeft tranen in de ogen.
‘Ruik dan zelf!
De riem ruikt naar …’
Pap ruikt niet aan de riem.
Op de grond ligt een stuk zwarte stof.
Hij raapt de stof op.
‘Maks heeft zijn tanden gebruikt,’ zucht hij.
Er is ook een spoor van een schoen.
In het zand.
Tim volgt het spoor.
Tim ziet twee keer een grote voet en twee keer een kleine voet.
Tim weet het al:
‘Van Plooi en Van Kooi,’ snikt hij.
Pap zegt niets.
Hij legt zijn arm om Tim heen.
En geeft hem een aai over zijn bol.
Hij kijkt koud en hard
en bijt zijn tanden op elkaar.
Dan komt opa de tuin in.
Pap wijst naar de kooi van Maks.
Opa schrikt en kijkt pap aan.
‘De hond is ontvoerd,’ zegt hij zacht.

9. Geblaf

Tim pakt de zwarte stof vast.
Hij ruikt eraan.
'Dit is nieuw,' zegt Tim.
Pap en mam komen bij hem staan.
'De stof is van een nieuwe jas.
Die jas is niet meer dan twee dagen oud.'
Tim weet het zeker.
Mam voelt ook aan de stof.
'De stof is duur, hoor.
Het is weefsel uit India.'
Pap zit al bij de computer.
Hij zoekt de kleermakers van de stad op.
Hij print drie keer een naam uit.
'Kom mee!' zegt hij fel.

Pap raast over de weg.
'Kijk uit!' kreunt opa.
Mam geeft Tim een hand.
De eerste zaak is dicht.
Met vakantie hangt er aan de deur.
De tweede winkel is open.
De man van de zaak kent de stof niet.
Hij kan niet helpen.
In de derde winkel hebben ze beet.

Mam slaat op de toonbank.
'Heeft u pas pakken gemaakt in die stof?'
De man schrikt.
'Ik denk het wel,' zegt hij.
'Voor een grote en een kleine man?'
De man denkt diep na.
'Nu je het zegt, ik denk vorige week …'
De man tikt iets in op de computer.
'Ja hoor, voor P. en Van K.'
Pap schrijft het adres op.
Dan scheuren ze weg.

'Hier is het!' schreeuwt Tim.
Pap gaat hard op de rem staan.
Het gebouw ligt naast een kaaswinkel.
Tim holt zo naar de ingang.
'Wacht!' gilt mam.
Tim ruikt aan de blauwe poort.
Hij ruikt Maks.
Maar ook de boxer.
En de windhond, de poedel, de teckel en …
'Maaaaaks!' roept Tim.
Binnen hoort hij wel een hond of veertig.
Pap belt de politie.

10. Raak!

Vijf auto's met zwaailicht razen over de weg.
In één grote wolk van stof staan ze stil.
Mam schrikt en slikt.
Opa heft zijn stok op.
Hij wijst naar de poort.
Tim legt zijn vinger op zijn mond.
Hij wijst met zijn duim naar de deur.
Een agent stapt uit de wagen.
Hij knikt en tikt tegen zijn pet.
'Mijn naam is Henk,' zegt hij.
Dan strijkt hij zijn snor glad.
Hij wenkt zijn vrienden.
Ze gaan dicht bij elkaar staan.
Ze praten heel zacht.
Dan wijst Henk twee mannen aan.
Ze trekken hun wapens en hollen weg.
Naar de zijkant van het gebouw.
Dan stapt agent Henk op Tim toe.
'Liggen, knul,' kucht hij.
Tim holt naar mam.
Mam en Tim duiken weg achter een auto.
Een agent kruipt op het dak.
En nog een.
Ze kijken door een raam omlaag.

Tim heeft gelijk!
De mannen zwaaien naar hun baas.
Ze knikken met het hoofd.
Henk tikt tegen zijn pet.
Hij staat nu voor de poort.
Hij bukt zich en kijkt naar binnen.
Met een ruk staat hij weer op.
Zijn ogen flitsen heen en weer.
'Tel af!' sist hij.
Een dunne agent steekt zijn hand op.
Hij toont zijn vingers aan de rest.
Dan telt hij af.
'Tien, negen, acht, … vier, drie, twee, één!'
Agent Henk beukt de deur in.
Zijn vriend duikt achter hem aan.
Op het dak wachten agent Piet en Tom niet.
Ze springen omlaag!
'Politie!' schreeuwen ze in koor.
Ze rennen door het gebouw.
Piet zwaait met zijn pistool.
Hij richt op elke hoek.
En richt ook op elke schim.
Er is geen kat te zien.
Wel zijn er veertig honden.
Hun geblaf is heel ver te horen.
Tim holt het gebouw binnen.

'Maks!' gilt hij.
Hij maakt het slot van de kooi los.
Hij vliegt zijn hond om de hals.
Dan aait mam Maks over zijn kop.
Pap aait Maks ook.
Opa komt eraan.
Hij hijgt.
'De dieven,' piept hij.
'Ze starten een bus achter het gebouw!'
Tim pakt Maks bij zijn kop.
Hij kijkt de hond aan.
'Pak ze, Maks!' zegt hij.
De hond gaat er als een speer vandoor.
Om de hoek ziet hij de bus.
In de bus zitten twee mannen.
Met een zwart pak en een zwarte bril.
Een van hen laat zijn tanden zien.
Dat was niet zo'n goed idee!
Maks duikt door het open dak in de bus.
Hij bijt de sleutel uit het contact.
De dieven kunnen geen kant meer op.
Hun liedje is uit.

De ochtend erna is pap vroeg op.
'We staan in de krant!' joelt hij.
Maks blaft en draait rond.

Aan de band om zijn hals hangt een strik.
De strik is heel mooi.
Het is de strik van een held.

Naam: *Tim Snuffel*
Ik woon met: *mijn papa Tom en mama Lise*
Dit doe ik het liefst: *spelen met Maks!*
en aan alles ruiken
Hier heb ik een hekel aan: *alles wat naar zweet en*
kaas ruikt
Later word ik: *maker van parfums*
In de klas zit ik naast: *Mazin*

Waarom zit Fleur samen met een zwerver op de tribune (zie pagina 23)? Zou ze die man goed kennen? Lees er alles over in 'Het raadsel van het schilderij'.

Het raadsel van het schilderij

AVI 3

1e druk 2005

ISBN 90.276.6008.5
NUR 282

Illustraties: Kees de Boer
Vormgeving: Rob Galema
Uitgeverij Zwijsen B.V. Tilburg

Voor België:
Zwijsen-Infoboek, Meerhout
D/2005/1919/149

r WOEF-feest